AN SÍOFRA

Liam Mac Uistín

Cló Iar-Chonnachta
Indreabhán
Conamara

An Chéad Chló 2004
© Cló Iar-Chonnachta Teo. 2004

ISBN 1 902420 87 X

Dearadh clúdaigh: Angel Design
Dearadh: Foireann CIC

Tugann Bord na Leabhar Gaeilge
tacaíocht airgid do Chló Iar-Chonnachta

Faigheann Cló Iar-Chonnachta cabhair airgid
ón gComhairle Ealaíon

Clóchur: Cló Iar-Chonnachta, Indreabhán, Conamara
Teil: 091-593307   **Facs:** 091-593362   **r-phost:** cic@iol.ie
Priontáil: Clódóirí Lurgan, Indreabhán, Conamara
Teil: 091-593251/593157

D'Aoibheann

le grá ó GDL

Leis an údar céanna:

Úrscéalta
An Geall (2003)
Mac an Easpaig (1998)
Esperanza (1994)

Filíocht
Cairt an Chroí (2000)

Drámaí
Pocléim (1973)
Liombó (1970)
Cóiriú na Leapa (1969)

Do Léitheoirí Óga
Dorád (1995)
An Táin (1994)
Learaí (1989)
Clann Tuireann (1985)
Deirdre (1982)
Mír agus Éadaoin (1979)

Ghnóthaigh an scríbhinn seo an chéad duais sa Chomórtas Ficsin do Dhaoine Óga i gComórtas Liteartha an Oireachtais.

Scríobhadh an leabhar seo le cabhair coimisiúin ó Bhord na Leabhar Gaeilge.

1. Séarlaí a hAon

'Cúl!'

Shéid an réiteoir an fheadóg. Bhí an cluiche thart is an bua ag Scoil na Glaise. Deich gcúl in aghaidh cúilín amháin. Agus ba eisean, Séarlaí Ó Siochrú, a fuair na deich gcúl sin. Lig an slua gáir ard mholta.

'Dia go deo leat, a Shéarlaí!' a scairt cailín. Thug sé sracfhéachaint i dtreo na taobhlíne. Eilís a bhí ann, a súile móra gorma ag soilsiú le háthas.

Go tobann, scuabadh dá chosa é. Iompraíodh ón bpáirc é ar ghuaillí arda agus aoibh ar a aghaidh. Laoch na scoile!

'ÉIRIGH, A SHÉARLAÍ!'

Rinne glór a mháthar smidiríní dá bhrionglóid. D'imigh na gártha molta in éag. D'imigh an pháirc. D'oscail sé a shúile agus lig sé osna. Lá scoile eile! Lá eile ina shuí ar chathaoir chrua i rang fada leadránach. Lá eile ag iarraidh Barra Ó Dubháin a sheachaint.

Ba é Barra maistín na scoile. Buachaill mór láidir a bhí ann a raibh cuma air go raibh sé níos sine ná aon bhliain déag. Bhí eagla ar fhormhór na scoláirí eile roimhe. Bhí an-eagla ar Shéarlaí roimhe.

Chuir sé dua air féin gan dul i mbealach Uí

7

Dhubháin. Nuair a d'fheiceadh an maistín Séarlaí le milseáin nó le rudaí deasa eile d'ordaíodh sé dó iad a thabhairt dó láithreach. Mura ndéanfadh Séarlaí sin bhuailfí dorn sna heasnacha air a d'fhágfadh i bpian é ar feadh an lae.

'A Shéarlaí!' Scairt a mháthair aníos ón gcistin arís.

Shleamhnaigh sé go mífhonnmhar as an leaba the theolaí. Nigh sé a aghaidh agus chuir sé air a chuid éadaigh. Ansin chuaigh sé isteach sa chistin. Bhí a bhricfeasta ullamh ar an mbord. Shuigh sé agus thosaigh sé ag aislingeacht.

'Dia duit ar maidin,' a dúirt a athair leis.

Dhúisigh Séarlaí as a aisling agus stán sé trasna an bhoird. 'Ó, Dia duit, a Dhaid.'

Thosaigh sé ag aislingeacht arís.

Lig a athair osna. Ba dheacair dó a mhac a thuiscint. Níorbh amhlaidh gur bhuachaill dána é. A mhalairt ar fad. Bhí sé dea-mhúinte agus ciúin. Róchiúin, b'fhéidir. Cén fáth nach bhféadfadh a mhac bheith sáite i dtroid agus teacht abhaile le súil ghorm? Nach bhféadfadh sé a aghaidh nó a chuid éadaigh a shalú anois is arís? Cén fáth nach bhféadfadh sé áit a fháil ar fhoireann peile na scoile? Nach bhféadfadh sé aon rud a dhéanamh seachas bheith ag aislingeacht i gcónaí?

'Ith do bhricfeasta!' a dúirt a mháthair le Séarlaí. 'Brostaigh ort nó beidh tú déanach arís don bhus scoile.'

Chríochnaigh Séarlaí a bhricfeasta agus d'imigh ón mbord. Sheas sé ag an bhfuinneog ag stánadh amach ar na scamaill a bhí ag eitilt trasna na spéire.

'Cuir ort do chóta agus faigh do mhála scoile,' a dúirt a mháthair go mífhoighneach. 'Brostaigh!'

D'fhág Séarlaí an teach agus shiúil sé síos an bóthar go mall. Bhí an bus scoile díreach ar tí imeacht. Chroith an tiománaí a cheann nuair a chonaic sé é ag teacht. Ba é Séarlaí an duine deireanach ar an mbus gach maidin.

Chuaigh Séarlaí ar thóir suíocháin ar an mbus. Bhí sé ag súil go bhfaigheadh sé ceann in aice le hEilís. Ach bhí sise ina suí in aice lena cara, Cáit Ní Fhaoláin. Bheannaigh sé di agus é ag gabháil thairsti. Thug sí mearfhéachaint air agus lean léi ag caint le Cáit. Fuair Séarlaí áit i gcúl an bhus. Thosaigh sé ag aislingeacht go raibh sé ar spásárthach ar a bhealach chun na gealaí.

Matamaitic an chéad ábhar a bhí ag an rang. Níor thaitin an t-ábhar sin le Séarlaí. B'fhearr leis bheith ag machnamh ar cheisteanna ar nós: Cén fáth nach féidir le daoine an ghaoth a fheiceáil?

Chuir an múinteoir scrúdú ar an rang. Bhí deich nóiméad acu chun sraith fhada uimhreacha a shuimiú. Bhí a lán náideanna in eireaball na bhfigiúirí.

Thosaigh Séarlaí ag suimiú. Tar éis tamaillín bhí sé caillte. Bhí na huimhreacha rófhada. Thosaigh sé ag aislingeacht: Cad í an uimhir is lú ar domhan? An bhfuil sí chomh beag sin nach féidir í a fheiceáil? Cad í an uimhir is mó ar domhan? An mbeadh spás inti do na náideanna go léir? An mbeadh orthu an uimhir a chur ag eitilt san aer chun dóthain spáis a thabhairt di? Cad a tharlódh dá mbuailfeadh sí in aghaidh na scamall?

Bhí Séarlaí ag smaoineamh ar na ceisteanna seo nuair a d'fhógair an múinteoir go raibh an t-am istigh. Chuaigh sé timpeall an ranga agus d'fhéach sé ar a raibh scríofa acu. Bhí freagra éigin ag gach duine seachas ag Séarlaí.

Lig an múinteoir osna fhada. Dá n-éireodh Séarlaí as an aislingeacht b'fhéidir go bhféadfadh sé ceist a fhreagairt anois is arís.

D'éirigh níos fearr le Séarlaí sa rang Gaeilge. Bhí ar an rang scéal a scríobh faoi thuras a thaitneodh leo. Scríobh Séarlaí cuntas ar thuras go Mars. Bhí an scéal chomh spéisiúil sin gur léigh an múinteoir é don rang.

Thuig an múinteoir anois go raibh rudaí iontacha ag snámh timpeall in intinn Shéarlaí. Nuair a bheadh sé fásta, b'fhéidir go mbeadh sé ina scríbhneoir agus go gcuirfeadh sé na scéalta iontacha sin i leabhar.

Chuaigh Séarlaí amach sa chlós ag am lóin. Bhí sé ina sheasamh i gcúinne is é ar tí barra Kit Kat a ithe nuair a tháinig Barra Ó Dubháin anall chuige. Shín sé a lámh amach.

'Tabhair dom an Kit Kat sin!'

Bhí a fhios ag Séarlaí gurbh fhánach dó cur in éadan an mhaistín. Bhí Barra i bhfad níos mó agus níos láidre ná é.

'Seo leat!' a scairt an maistín. 'Tabhair dom an Kit Kat nó brisfidh mé do shrón!'

Thosaigh slua ag cruinniú timpeall orthu. Bhí a lán acu ag súil go seasfadh Séarlaí an fód is go mbeadh troid ann.

'Ná tabhair an Kit Kat dó!' a dúirt buachaill amháin. Chas an maistín agus stán sé go fíochmhar air. Chúlaigh an buachaill. Rinne an maistín dorn dá lámh agus chuir sé é faoi shrón Shéarlaí.

Ghearr Eilís bealach di féin tríd an slua. Sheas sí os

comhair an mhaistín. 'Imigh leat,' a dúirt sí leis. 'Ní leatsa an Kit Kat sin.'

Stán Barra go fonóideach uirthi. 'Tabhair aire do do ghnó féin!' Thug sé sonc d'Eilís.

Tháinig fearg ar Shéarlaí. D'ardaigh sé an barra seacláide chun é a shá isteach in aghaidh an mhaistín. Shnap seisean uaidh é agus d'imigh leis. Tháinig osna ón slua agus scaip siad.

Chas Séarlaí chuig Eilís. 'An bhfuil tú ceart go leor?' a d'fhiafraigh sé.

Chlaon sí a ceann agus stán sí go díomách air. 'Cad chuige nár sheas tú an fód?' Chas sí a droim leis agus chuaigh chun cainte lena cairde.

Ag deireadh na ranganna d'fhógair an múinteoir go raibh foireann roghnaithe aige don chluiche in aghaidh Scoil an Chnoic. Chas sé an clár dubh timpeall. Bhí ainmneacha na foirne scríofa air. Ní raibh Séarlaí ar an liosta. Bhí Barra Ó Dubháin air.

Ar a mbealach amach as an rang labhair Barra le Séarlaí. 'Bhí an Kit Kat sin an-bhlasta.' Rinne sé dradgháire. 'Bíodh rud éigin deas eile agat dom amárach . . .'

2. Séarlaí a Dó

'Á-Á-Á!'

Bhain olagón Lifeachair macalla as pasáistí an leasa. Chruinnigh na sióga eile thart timpeall air.

'Cad a tharla duit?' a d'fhiafraigh Saoi, Rí na sióg. 'Cén fáth a bhfuil tú sínte amach ar an talamh?'

Rinne Lifeachar olagón arís. 'D'imir an grabaire óg sin, Bobaileo, cleas eile orm. Ghearr sé na cosa de mo stól. Nuair a shuigh mé air thit mé ar an talamh.'

Chuimil an seanfhear a thóin. Thosaigh cúpla sióg ag gáire. Thug Lifeachar féachaint mhillteach orthu. 'Níl sin greannmhar!'

'Níl,' a d'aontaigh an Rí. 'Tá Bobaileo imithe ó smacht. Bíonn sé i gcónaí ag imirt cleas orainn. Déanfaidh sé dochar mór do dhuine éigin má leanann sé ar aghaidh mar seo.'

'Caith amach as an lios é,' a dúirt Lifeachar.

'Sea, caith amach é,' a scairt formhór na sióg.

'Tá go maith,' a dúirt an Rí. 'Ach beidh orainn duine eile a fháil ina áit. Sin riail an leasa.'

'Cuirimis Bobaileo ina shíofra i dteaghlach éigin sa domhan uachtarach,' a dúirt Lifeachar. 'Tógaimis buachaill ón teaghlach sin ina ionad.'

'Seift mhaith,' a dúirt na sióga eile, ag aontú leis. 'Déanaimis sin.'

D'ardaigh an Rí a lámh. 'Ní mór dúinn bheith cinnte gur leaid ciúin dea-mhúinte é an duine nua. Ní theastaíonn uainn Bobaileo eile a ligean isteach chun sinn a chrá.'

'Tá buachaill deas ina chónaí i mBaile na Glaise,' a dúirt sióg bheag. 'Mar is eol daoibh, tá sé de dhualgas ormsa súil a choinneáil ar gach rud a tharlaíonn sa cheantar sin. Is é Séarlaí Ó Siochrú an buachaill is ciúine agus is dea-mhúinte san áit. Ní chuirfeadh sé as dúinn ar aon bhealach dá dtógfaí isteach sa lios é.'

'Tá go maith,' a dúirt an Rí. 'Dá luaithe a dhéanfar an malartú is amhlaidh is fearr é.'

Chroith an tsióg bheag a ceann go hamhrasach. 'Tá deacracht amháin ann,' a dúirt sí.

'Cad é sin?'

'Níl mórán cosúlachta idir é agus Bobaileo. Tá gruaig Shéarlaí donn ach tá Bobaileo rua. Tá súile Shéarlaí gorm ach tá súile Bhobaileo dubh. Tá cluasa beaga ar Shéarlaí ach tá cinn mhóra ar Bhobaileo. Tá difríochtaí eile eatarthu freisin.'

'Is féidir liom é sin a réiteach le mo chuid draíochta,' a dúirt an Rí. 'Déanfaidh mé deimhin de go mbeidh Bobaileo díreach cosúil le Séarlaí. Anois, ná cuirimis tuilleadh ama amú. Téimis ar thóir Bhobaileo!'

3. An Malartú

Lár na hoíche a bhí ann. Bhí Séarlaí agus a thuismitheoirí ina gcodladh go sámh. Ní raibh fuaim le cloisint seachas tafann madra anois is arís. Chaill an ghealach an masc scamallach a bhí ar a haghaidh. Léirigh a solas grúpa síóg a bhí ag iompar mála mór isteach i ngairdín Shéarlaí. Shiúil siad go ciúin i dtreo an dorais. Shín duine acu a mhéar amach agus d'oscail an doras láithreach. D'iompair an grúpa an mála suas staighre. Stop siad taobh amuigh de sheomra Shéarlaí. Síneadh méar amach arís agus d'oscail an doras sin láithreach freisin. D'iompair siad an mála isteach sa seomra. D'oscail siad an mála agus thóg siad Bobaileo amach as. Bhí sé i suan draíochta. Leag siad ar an urlár é agus dhruid siad anonn leis an leaba.

Cuireadh Séarlaí faoi gheasa. Ansin cuireadh ina luí ar an urlár é agus cuireadh Bobaileo ina áit sa leaba. Tharraing siad an mála suas ar Shéarlaí agus d'iompair siad amach as an teach é.

Chlúdaigh na scamaill an ghealach arís. Faoi bhrat an dorchadais d'iompair na síóga an mála ar ais go dtí an lios . . .

* * *

Dhúisigh Séarlaí a Dó go luath ar maidin. Bhí a sheanainm, Bobaileo, ligthe i ndearmad aige. Séarlaí Ó Siochrú a bhí mar ainm air anois.

Léim sé as an leaba, nigh sé é féin, chuir air a chuid éadaigh agus dheifrigh síos staighre. Chuaigh sé isteach sa chistin. Bhí a thuismitheoirí ina gcodladh fós. Thosaigh sé ag ullmhú bricfeasta don triúr acu. Nuair a tháinig a thuismitheoirí anuas an staighre agus isteach sa chistin bhí ionadh agus alltacht orthu Séarlaí a fheiceáil ina shuí chomh luath sin.

'Dia daoibh ar maidin,' a dúirt seisean. 'Tá an bricfeasta ullamh.'

Stán a thuismitheoirí air, a súile ar leathadh.

'An bhfuil tú ar fónamh, a Shéarlaí?' a d'fhiafraigh an t-athair go himníoch.

'Táimse i mbláth na sláinte,' a d'fhreagair Séarlaí a Dó agus gáire ar a bhéal. 'Suígí agus ithigí bhur mbricfeasta. Tá súil agam go dtaitneoidh sé libh.'

Nuair a bhí an béile thart nigh sé na gréithre, scuab sé an t-urlár, fuair sé a mhála scoile agus d'fhág sé an teach. Stán a thuismitheoirí ina dhiaidh agus a mbéal ar oscailt.

Ba é Séarlaí a Dó an chéad phaisinéir ar an mbus scoile. Ba bheag nár thit an tiománaí as a shuíochán nuair a chonaic sé é.

* * *

Bhí Barra Ó Dubháin in aice le Séarlaí ar an mbealach isteach sa rang. Bhagair sé a dhorn ar Shéarlaí. 'Duitse is measa mura mbíonn rud éigin deas agat dom ag am lóin.'

Chuir an múinteoir scrúdú eile uimhríochta ar an rang. Bhí sé níos deacra ná an scrúdú deireanach a cuireadh orthu. Bhí eireaball fada náideanna ar gach uimhir a bhí le suimiú.

'Anois,' a dúirt an múinteoir, 'tabharfaidh mé cúig nóiméad daoibh chun an cheist seo a dhéanamh.'

Thug Séarlaí a Dó sracfhéachaint ar an gceist. Scríobh sé an freagra láithreach. Ansin stán sé an fhuinneog amach.

Lig an múinteoir osna nuair a d'fhéach sé air. Bhí Séarlaí ag aislingeacht arís! Nach bhféadfadh sé iarracht a dhéanamh, ar a laghad, an cheist a fhreagairt?

'Tabhair faoin gceist, a Shéarlaí,' a dúirt sé go mífhoighneach.

'Tá sí críochnaithe agam.'

'Ní chreidim tú. Lig dom féachaint . . .'

Thug Séarlaí a chóipleabhar dó. D'fhéach an múinteoir air. Bhí an freagra ceart aige! D'fhéach sé ar na scoláirí eile. Bhí siadsan fós ag obair ar an gceist. Stán sé ar Shéarlaí a Dó. Chroith sé a cheann agus shuigh sé ag a dheasc.

Ag am lóin chuaigh Séarlaí a Dó amach sa chlós. Thóg sé úll as a phóca agus thosaigh sé á ithe. Dheifrigh Barra Ó Dubháin anall chuige.

'Tabhair dom an t-úll sin!' a d'ordaigh sé.

Bhain Séarlaí a Dó plaic as an úll.

'Mmm . . . tá blas breá air seo,' a dúirt sé.

'Tabhair dom é . . . anois!' a scairt an maistín.

Bhailigh na daoine óga timpeall ar an mbeirt acu. Bhí Eilís sa slua. Bhí sise ag ceapadh go ngéillfeadh Séarlaí don mhaistín arís. Tháinig ionadh uirthi nuair a chonaic sí Séarlaí ag ithe an úill go dtí nach raibh ach an croí fágtha.

Shín Séarlaí an croí amach chuig Barra. 'Anois,' a dúirt sé le mhiongháire. 'Bíodh sin agat.'

Baineadh an anáil den lucht féachana. Chroith siad a gceann. Ní chuirfeadh an maistín suas le masla mar sin. Mharódh sé Séarlaí bocht!

Rinne Barra dorn dá lámh. D'ardaigh sé é chun Séarlaí a bhualadh san aghaidh. Shín Séarlaí a mhéar amach. Stop an maistín láithreach. D'fhan sé mar sin, a dhorn fós san aer, is gan ar a chumas corraí.

Thosaigh cuid den lucht féachana ag gáire. Chuir Séarlaí a mhéar ar ghualainn Bharra agus shleamhnaigh an maistín go talamh. Luigh sé ansin gan chorraí. Phléasc an lucht féachana amach ag gáire.

Sheas Eilís in aice le Séarlaí.

'Maith thú!' a dúirt sí leis. Phóg sí ar a leiceann é.

Dheifrigh an múinteoir anall. Stán sé síos ar Bharra. 'Cén fáth a bhfuil tú i do luí ansin?' a d'fhiafraigh sé.

Níor fhreagair an maistín é.

'Éirigh!' a d'ordaigh an múinteoir.

Shín Séarlaí a Dó a mhéar amach arís. D'éirigh an maistín ina sheasamh. Bhí a aghaidh lasta go bun na gcluas le náire.

'Isteach libh sa scoil!' Threoraigh an múinteoir iad ar ais go dtí an rang.

Ar an mbealach isteach bhagair Barra a dhorn ar Shéarlaí. 'Bainfidh mé díoltas asat!'

Rinne Séarlaí gáire leis.

Stair an chéad ábhar eile a bhí ag an rang. Chuir an múinteoir ceisteanna orthu. D'fhreagair Séarlaí gach ceist i gceart. Stán an múinteoir air agus iontas air. Cad é an t-athrú seo a bhí tagtha ar an aislingeach ba mhó sa rang? D'fhógair sé go mbeadh cleachtadh peile ann an tráthnóna sin. Thug sé cuireadh do gach duine bheith páirteach sa chleachtadh. Chuaigh Séarlaí amach leis na peileadóirí eile tráthnóna.

Thosaigh Barra Ó Dubháin ag magadh faoi. 'Féach ar an amadán beag! Ceapann sé gur peileadóir é.' Bhí Barra ag imirt i lár páirce. Rug sé ar gach aon liathróid a tháinig ina threo. Bhí sé ábalta léim go hard agus bhí cic fíochmhar aige. Sheas Séarlaí a Dó in aice leis i lár páirce. Stán Barra anuas air go drochmheasúil. Bhí sé i bhfad níos airde ná Séarlaí. Tháinig an liathróid ina dtreo. Phreab Barra suas san aer chun greim a fháil air. Scinn duine éigin thairis ar nós roicéid.

Chuaigh Séarlaí cúig troithe níos airde ná Barra. Fuair sé greim ar an liathróid. Nuair a shroich sé an talamh arís chiceáil sé an liathróid i dtreo an chúil. D'eitil an liathróid idir na cuaillí.

'An-mhaith, a Shéarlaí!' a scairt an múinteoir. Stán Barra go nimhneach ar Shéarlaí. Dhírigh sé cic fíochmhar ar a chos. Cheap sé go raibh sé tar éis balla brící a bhualadh. Rith pian ghéar óna bharraicíní aníos go dtí a ghlúin. Lig sé liú cráite as féin.

'Cad tá cearr leatsa?' a d'fhiafraigh an múinteoir.

'Ghortaigh mé mo chos.'

'Lig dom féachaint.' Chrom an múinteoir síos agus chroith sé a cheann. 'Is eagal liom nach mbeidh tú ábalta páirt a ghlacadh sa chluiche in aghaidh Scoil an Chnoic ar an gCéadaoin. Tá Séarlaí ag imirt go maith. Cuirfidh mé i d'áitse é.'

18

Shéid sé a fheadóg chun deireadh a chur leis an gcleachtadh. 'Níl tú ábalta siúl,' a dúirt sé le Barra. 'Tabharfaidh mé síob abhaile duit sa charr. B'fhearr duit gan teacht ar scoil go dtí go mbeidh biseach ar an gcos sin arís.'

Nuair a d'fhill Séarlaí a Dó abhaile d'fhógair sé gur roghnaíodh é don fhoireann peile. D'fhéach a athair go lúcháireach air.

'Mo ghraidhin tú, a Shéarlaí! Bhí a fhios agam go raibh an mianach ionat.'

Thug a mháthair béile dó. 'Nuair a bheidh sin ite agat faigh do mhála agus déan do cheachtanna baile.'

'Tá siad déanta agam.'

Stán a mháthair air go hamhrasach. 'Cathain a rinne tú iad?'

'Ar an mbealach abhaile ar an mbus.'

'Taispeáin do chóipleabhar dom.'

Tharraing Séarlaí a Dó cóipleabhar as a mhála scoile agus thaispeáin sé a chuid oibre di.

Scrúdaigh sí gach freagra go géar. Bhí gach rud in ord is in eagar. Thug sí an cóipleabhar ar ais do Shéarlaí a Dó. Stán sí go machnamhach air le linn dó a bheith ag ithe a bhéile. Ba é an buachaill céanna é, de réir gach cosúlachta. Ach bhí sé athraithe ar shlí éigin . . .

4. An Saol sa Lios

Shuigh Lifeachar ar a stól agus lig sé osna áthais. Bhí an saol sa lios suaimhneach anois. Ní raibh Bobaileo ann chun cleasa a imirt air féin agus ar na sióga eile. Ní raibh cosa stóil á ngearradh ná iallacha bróige á gceangal le chéile ná gliú á chur i stocaí.

Shuigh Rí na sióg in aice leis. 'Is cosúil go bhfuil tusa ar do sháimhín suilt arís,' a dúirt sé.

Chlaon Lifeachar a cheann. 'Táim. Níl aon ábhar imní agam ó d'fhág an grabaire óg sin an lios. Tá saol socair sona againn go léir anois.'

'Ba mhaith an tseift é Bobaileo a mhalartú ar Shéarlaí,' a dúirt an Rí.

'Ba mhaith, cinnte. Cén chaoi a bhfuil ag éirí leis an duine nua?'

'Ar fheabhas. Tá sé ag dul i dtaithí ar ár saol anseo. Tá ár gcleasa draíochta á bhfoghlaim aige de réir a chéile.'

Chuir Lifeachar roic ina éadan. 'Tá súil agam nach mbainfidh sé mí-úsáid astu faoi mar rinne Bobaileo.'

'Ní bhainfidh,' a dúirt an Rí. 'Is buachaill ciúin dea-mhúinte é. Níl ach locht amháin agam air.'

'Cad é sin?'

'Tá sé tugtha don aislingeacht. Fágann sé cuid dá chuid oibre gan déanamh i gceart. Ní chuireann sé snas ar na réaltaí agus bíonn na dathanna mícheart aige ar na boghanna báistí.'

'Thug mé faoi deara go raibh solas na gealaí an-lag aréir,' a dúirt Lifeachar.

'Rinne Séarlaí dearmad na bolgáin solais a athrú. Thugas rabhadh dó. Ach tá sé deacair bheith crosta leis. Tiocfaidh feabhas air de réir a chéile.'

'Tá sé i bhfad níos fearr ná Bobaileo, ar aon nós,' a dúirt Lifeachar. 'Tá súil agam go bhfanfaidh sé linn.'

Rinne an Rí maolgháire.

'Níl an dara rogha aige,' a dúirt sé. 'Ní féidir leis filleadh ar a sheansaol go dtí go dtabharfaidh mise cead dó. Ní dóigh liom go dteastaíonn uaidh filleadh, go fóill, ar aon nós. Is cosúil go bhfuil sé sásta lena shaol anseo . . .'

* * *

Bhí Séarlaí a hAon an-sásta lena shaol sa lios. Na rudaí a mbíodh sé ag aislingeacht fúthu bhí sé in ann a bhformhór a dhéanamh anois.

Bhí dhá thuras tugtha aige cheana féin ar Mhars. Níor ghlac gach turas ach deich nóiméad an ceann mar thug an Rí crann scuaibe draíochta dó chun taisteal tríd an spás.

Bhí Séarlaí tar éis éirí cairdiúil le buachaill agus le cailín ar Mhars agus bhí cuireadh faighte aige a chuid laethanta saoire a chaitheamh leo. Déanta na fírinne bhí sé fíorshásta lena shaol sa lios.

Smaoinigh sé ar a thuismitheoirí ó am go chéile. Bhí súil aige nach raibh siad róbhuartha toisc nach raibh sé leo a thuilleadh. Ní fhéadfaidís bheith róbhuartha, a dúirt sé leis féin. Ní raibh sé imithe uathu ach lá amháin. D'fhillfeadh sé abhaile i gceann cúpla lá eile lena chur in iúl dóibh go raibh sé ceart go leor.

Lá amháin! Ní raibh a fhios aige go raibh difríocht mhór idir an t-am sa lios agus an t-am ina sheansaol. B'ionann lá amháin i ndomhan na síóg agus mí iomlán sa domhan uachtarach. Lig Séarlaí a hAon osna áthais. Bhí sé ag smaoineamh ar thuras a thabhairt ar Iúpatar. Bheadh an turas sin i bhfad níos faide ná an ceann go Mars. Bheadh air cead speisialta a fháil ón Rí . . .

5. An Cluiche

Bhí foireann an Chnoic tagtha chun cluiche peile a imirt le foireann na Glaise. Tháinig an dá fhoireann amach ar an bpáirc. Lig a lucht tacaíochta gáir ard mholta. Bhí Séarlaí ag imirt i lár na páirce. Bhí an bheirt a bhí i lár na páirce ar fhoireann an Chnoic i bhfad níos airde ná é. Thosaigh siad ag magadh faoi.

'Féach ar an leipreachán!' a dúirt duine acu.

'Ba chóir dó bheith sa bhaile ina phram!' a dúirt an duine eile.

Shéid an moltóir a fheadóg agus cuireadh tús leis an gcluiche. Tar éis tamaillín tháinig an liathróid go lár na páirce. Rith imreoirí an Chnoic chun greim a fháil uirthi. Scinn Séarlaí a Dó tharstu ar luas lasrach.

Fuair sé an liathróid agus chiceáil sé í i dtreo an chúil eile. Rith an cúl báire amach chun stop a chur léi. Chuir sé a lámha timpeall na liathróide. Iompraíodh é féin agus an liathróid siar isteach i líontán an chúil.

Shéid an moltóir an fheadóg. Lig lucht tacaíochta na Glaise liú ard.

'Dúisígí!' a scairt captaen an Chnoic lena bheirt chomrádaithe i lár na páirce. Dhruid an bheirt acu i ngar do Shéarlaí a Dó. Ní ligfeadh siad dó greim a fháil ar an liathróid arís. Nó sin a cheap siad . . .

Tháinig an liathróid tríd an aer amach go lár na páirce. Bhí Séarlaí ar tí léim a thabhairt san aer. Thug duine den bheirt comhartha don duine eile. Chasadar chun Séarlaí a theannadh eatarthu. Ach bhí seisean imithe. Bhí sé thuas san aer!

Bhuail an bheirt in aghaidh a chéile. Thit siad ar an talamh. Thug Séarlaí ruathar aonair suas lár na páirce leis an liathróid. Rinne imreoir de chuid an Chnoic iarracht ar é a stopadh. D'éalaigh Séarlaí uaidh gan dua.

Chiceáil sé an liathróid isteach i gcúl an Chnoic. Shéid an moltóir a fheadóg. Scór eile d'fhoireann na Glaise. Lig a lucht tacaíochta liú áthais eile astu. Cuireadh beirt fhear ionaid in áit na beirte i lár páirce ar fhoireann an Chnoic. Theip ar an mbeirt nua srian a chur le Séarlaí a Dó. Arís agus arís eile chuir sé an liathróid ag réabadh isteach i gcúl an Chnoic. Réab an liathróid an eangach agus fágadh poll mór inti.

Ag deireadh an chluiche bhí dhá chúl déag ag foireann na Glaise agus gan scór ar bith ag foireann an Chnoic. Iompraíodh Séarlaí a Dó den pháirc ar ghuaillí a chomrádaithe.

* * *

'Tháinig tuairisc scoile ar Shéarlaí sa phost inniu,' a dúirt a mháthair lena athair.

'An gnáthscéal, is dócha,' a dúirt seisean go duairc. 'Bun an ranga arís.'

'A mhalairt ar fad,' a dúirt sise. 'Tá sé ar bharr an ranga.'

'Ní chreidim tú! Lig dom féachaint . . .' Chroith sé a cheann nuair a léigh sé an tuairisc. 'Míorúilt!'

'Tharla míorúilt eile inniu,' a dúirt sise. 'Scóráil Séarlaí dhá chúl déag i gcluiche peile. Ceapadh é ina chaptaen ar an bhfoireann.'

Stán seisean uirthi le móriontas.

'Cad is cúis leis an athrú seo atá tagtha air?'

'Níl a fhios agam,' a d'fhreagair sí. 'Ach tá súil agam go leanfaidh sé ar aghaidh mar sin.'

'Ní mór dúinn é a spreagadh.' Chuimil sé a smig go machnamhach. 'Ceannaímis rothar nua dó.'

'Tá go maith,' a dúirt sí. 'Ach ná habair aon rud faoi. Is fearr gan coinne dá laghad a bheith aige leis . . .'

6. An Rothar Draíochta

Bhí Séarlaí a Dó an-bhródúil as a rothar nua. Ní raibh rothar aige riamh cheana. Ní fheictí iad sa lios, fiú ag na síóga óga. Théidís ó áit go háit ar a gcrainn scuaibe draíochta. Bhí na crainn scuaibe i bhfad níos tapúla ná aon mhodh taistil a bhí ag na daoine sa saol eile.

Ba é a chrann scuaibe draíochta an t-aon rud a d'airigh Séarlaí a Dó uaidh ó díbríodh as an lios é. Níor tugadh cead dó é a bhreith leis. Ach bhí an rothar nua seo beagnach chomh maith le crann scuaibe draíochta. Bhain Séarlaí úsáid as na cleasa a bhí ar eolas aige chun draíocht a chur ar an rothar. Ba nós leis anois taisteal chun na scoile air. Sciorradh sé thar an mbus scoile ar nós na gaoithe agus bhaineadh sé geit mhór as an tiománaí.

Bhí rothar nua ag Eilís freisin. Chuaigh siad ar picnic le chéile deireadh seachtaine amháin. Thug Eilís ceapairí agus cístí léi agus thug Séarlaí mála milseán agus buidéal mór Coke leis. Stop siad ar bhruach abhann. Leag siad an bia anach ar bhlaincéad beag ar an talamh. Líon Séarlaí dhá ghloine le Coke cúrach. Thosaigh siad ag ithe is ag ól.

'Tá súil agam nach gcuirfidh na cuileoga isteach orainn,' a dúirt Eilís. Ar éigean a bhí sin ráite aici nuair a thuirling cuileog mhór ramhar ar cheann de na cístí. Chuir Eilís an ruaig uirthi ach d'fhill sí. Bhí scata cuileog in éineacht léi an uair seo. Sháigh siad a soic sna cístí agus sna ceapairí. Chroith Eilís a lámh orthu ach níor bhog siad.

'Scriosfaidh siad ár bpicnic,' a dúirt sí.

'Díbreoidh mise iad,' a dúirt Séarlaí a Dó.

Shín sé méar amach i dtreo na gcuileog. D'éirigh siad láithreach agus d'eitil siad amach thar lár na habhann. Shín Séarlaí a mhéar amach arís. Ar an bpointe thit na cuileoga go léir isteach san uisce.

'Ní chuirfidh siad isteach orainn arís,' a dúirt Séarlaí a Dó.

Stán Eilís air le hiontas.

'Cár fhoghlaim tú an cleas sin?'

'Mhúin na síoga dom é.'

Thug Eilís sonc go spórtúil sna heasnacha dó. 'Ná bí ag insint bréag.'

Nuair a bhí an picnic ite acu chuaigh siad ag dreapadóireacht ar chnoc. Chomh luath agus a bhí siad imithe d'éalaigh Barra Ó Dubháin amach as coill bheag in aice na habhann.

Chuaigh sé sall go dtí rothar Shéarlaí. Thóg sé an rothar nua. Leath an gáire ar a aghaidh. Bhí deis aige anois díoltas a imirt ar Shéarlaí. Chuirfeadh sé an dá rothar isteach san abhainn. Bheadh ar an mbeirt acu siúl abhaile.

Shuigh sé ar rothar Shéarlaí agus stiúraigh sé é i dtreo na habhann. Ach díreach sular shroich sé an

27

t-uisce tharla rud aisteach don rothar. D'éirigh sé san aer agus thaistil sé timpeall os cionn na habhann.

Choinnigh Barra greim docht ar lámha an rothair. D'fhéach sé síos agus tháinig eagla air. Thosaigh an rothar ag casadh síos suas, go mall ar dtús, agus ansin go tapa.

Chas an rothar timpeall ar fad. Caitheadh Barra isteach i lár na habhann. Ansin d'fhill an rothar ar an áit ina raibh sé i dtosach.

Shnámh Barra ar ais go bruach na habhann. Tharraing sé é féin amach as an uisce. Bhí sé fliuch báite. D'éalaigh sé isteach sa choill agus fuair sé a rothar féin. Ansin chuaigh sé amach ar an mbóthar agus thug aghaidh ar an mbaile.

Ní raibh a fhios aige cén míniú a thabharfadh sé dá thuismitheoirí ar an droch-chaoi a bhí ar a chuid éadaigh.

'Thit tú de rothar draíochta, an ea? Cén sórt scéil é sin? Téigh suas go dtí do sheomra!'

Nuair a tháinig Eilís agus Séarlaí ar ais shuigh siad síos agus d'ól siad a raibh fágtha den Coke. Stán Eilís i dtreo na spéire.

'Tá cosúlacht bháistí ar an spéir. B'fhearr dúinn bheith ag bogadh abhaile. Tá súil agam go mbeimid sa bhaile sula dtosaíonn sé ag cur.'

'Beimid sa bhaile i gceann cúpla nóiméad,' a dúirt Séarlaí a Dó.

'Ach táimid fiche míle ón mbaile.'

'Is cuma. Ní bheimid i bhfad.'

Nuair a shroich siad an bóthar cheangail Séarlaí a Dó rothar Eilíse taobh thiar dá rothar féin.

'Suímis ar na rothair,' a dúirt sé.

Nuair a bhíodar ullamh thug Séarlaí ordú dá rothar.
Scinn an rothar chun siúil. Ghluais an bheirt acu ar nós
na gaoithe. Shroich siad an baile díreach sular thit an
chéad bhraon báistí.

7. Séarlaí a hAon i mBaol

Idir an dá linn bhí ag éirí go breá le Séarlaí a hAon. Bhí an Rí an-sásta leis an dul chun cinn a bhí déanta aige. Bhí Séarlaí tar éis éirí as an aislingeacht. Ní dhearna sé aon fhaillí ina chuid oibre anois. Bhí na réaltaí ag spréacharnach gach oíche agus bhí solas na gealaí an-láidir.

Mhol formhór na sióga Séarlaí go hard na spéire. Ach bhí duine acu, Nimheadas, go mór in éad leis. Ba chara é le Bobaileo agus níor thaitin sé leis go raibh Séarlaí a hAon tar éis áit a chara a ghlacadh sa lios.

Bhí cead faighte ag Séarlaí ón Rí imeacht ar thuras timpeall a sheanbhaile ó am go chéile. Le teacht na hoíche shuíodh sé ar a chrann scuaibe draíochta agus d'eitlíodh sé thar dhíonta na dtithe.

Nuair a shroicheadh sé a theach féin d'eitlíodh sé timpeall ag féachaint ar a raibh ar siúl ann. Bhí áthas air a fheiceáil go raibh a thuismitheoirí ar fónamh. Thug sé faoi deara go raibh rothar breá nua sa chlós.

Bhí an Rí tar éis an malartú a mhíniú dó. Ba chosúil go raibh ag éirí go maith le Séarlaí a Dó. Níor chuir sin as dó. Níor theastaigh uaidh filleadh ar a sheansaol fós. Bhí sé ag baint taitnimh as a shaol leis na sióga.

D'eitil sé thar theach Eilíse. Chonaic sé í ag imirt leadóige boird lena deartháir. Bhí an cluiche á chailliúint aici. Shín Séarlaí a mhéar amach. Theip ar an deartháir an liathróid a bhualadh gach uair a tháinig sí ina threo. Ba ghearr go raibh an cluiche á bhuachaint ag Eilís.

Nuair a d'fhill Séarlaí a hAon ar an lios bhí Nimheadas ag faire air. Chonaic sé Séarlaí ag cur a chrainn scuaibe ar ais ina raca. D'fhan Nimheadas go dtí go raibh Séarlaí imithe. Ansin chuaigh sé go dtí an raca. Thóg sé an crann scuaibe amach agus thosaigh sé ag útamáil leis an ngléas stiúrtha. Chuir sé an crann scuaibe ar ais sa raca. Stán sé timpeall lena chinntiú nach bhfaca aon duine é. Ansin d'éalaigh sé ón áit.

An lá ina dhiaidh sin fuair Séarlaí a hAon cead ón Rí turas a thabhairt ar Mhars. Bhí sé ag súil lena chairde ar an bpláinéad sin a fheiceáil arís. Fuair sé a chrann scuaibe draíochta, shuigh sé air agus i gceann soicind bhí sé ag eitilt go hard sa spéir. Bhí an bealach go Mars ar eolas go maith aige. Bheadh air an crann scuaibe a stiúradh ar an taobh thoir den chóiméad Niobium. Ansin bheadh air casadh ar dheis agus eitilt díreach ar aghaidh go Mars.

Nuair a bhí sé imithe thar Niobium bhrúigh sé ar an ngléas stiúrtha chun casadh ar dheis. Níor tharla aon rud. Bhrúigh sé ar an ngléas arís. Lean an crann scuaibe ar aghaidh gan chasadh.

Thug Séarlaí a hAon buille don ghléas stiúrtha lena dhorn. Níor athraigh an crann scuaibe an treo ina raibh sé ag taisteal. Faoin am seo bhí Niobium fágtha i bhfad taobh thiar de aige.

Bhí eagla ar Shéarlaí anois. Bhí an spás ag síneadh amach roimhe. Spás síoraí gan teorainn gan deireadh . . . Dá gcaillfí é ní bhfaighfí a thuairisc choíche. Ní fheicfeadh sé a thuismitheoirí ná a chairde sa lios arís. Chuir an smaoineamh sin ar crith é.

Le teacht na hoíche ní raibh Séarlaí a hAon tagtha ar ais go dtí an lios. De ghnáth ní thógfadh an turas go Mars i bhfad. Mar sin de, bhí imní ar an Rí agus ar na sióga go léir . . . seachas duine amháin. Bhí ardáthas ar Nimheadas gur éirigh leis an gcleas a d'imir sé ar Shéarlaí. Ní fheicfí a namhaid sa lios arís . . . ná in aon áit eile go deo na ndeor.

Bhí Séarlaí a hAon i bhfad amuigh sa spás faoin am seo. Bhí an spéir chomh dubh le pic. Bhrúigh sé cnaipe ar an gcrann scuaibe. Lasadh soilse i mbarr agus i mbun an chrainn. Rinne sé iarracht eile ar an ngléas stiúrtha a bhogadh ach bhí an gléas greamaithe go docht fós.

Ar ais sa lios bhí imní ar an Rí gur tharla timpiste do Shéarlaí a hAon. Chuaigh sé go dtí na racaí agus d'fhéach sé ar an áit ina gcoimeádadh Séarlaí a chrann scuaibe. Thug sé faoi deara go raibh scriú beag ina luí ar an talamh. Phioc sé suas é. Scriú as crann scuaibe a bhí ann. Ní fhéadfaí an crann a stiúradh i gceart gan é. Ní foláir nó gurbh é sin a tharla do Shéarlaí a hAon. Bhí sé thuas sa spás agus ní raibh sé ábalta teacht ar ais. Chaithfí rud éigin a dhéanamh gan mhoill!

Bhrostaigh an Rí síos go dtí an garáiste príobháideach ina gcoimeádadh sé a chrann draíochta féin. Bhí an crann sin i bhfad níos cumhachtaí ná aon chrann eile sa lios. Thóg sé amach é agus shuigh sé air. Ansin scinn sé as an lios agus suas leis go hard sa spéir.

Thug sé aghaidh ar Mhars. Tháinig sé chomh fada le Niobium. Bhí sé ar tí casadh ar dheis nuair a chuimhnigh sé ar an scriú a bhí imithe ó chrann Shéarlaí. Gan é ní fhéadfadh Séarlaí casadh ar dheis! Lean an Rí díreach ar aghaidh isteach sa dorchadas a bhí roimhe sa spás.

Chonaic an Rí solas i bhfad uaidh. Bhrúigh sé cnaipe agus méadaíodh ar luas an chrainn. Bhrúigh sé cnaipe eile agus lasadh tóirsholas an-láidir ar bharr an chrainn. Chonaic an Rí Séarlaí a hAon cromtha síos ar chrann a scuaibe. Tháinig an Rí suas leis agus chroith sé lámh ina threo. Chroith Séarlaí lámh ar ais. Thug an Rí comhartha dó léim a thabhairt óna chrann go dtí a chrann scuaibe féin. Chlaon Séarlaí a cheann. D'fhéach sé ar an mbearna idir an dá chrann. Ansin léim sé.

Bhí a fhios aige láithreach nach n-éireodh leis. Bhí an bhearna eatarthu rómhór. Thit sé idir an dá chrann isteach sa spás dubh gan deireadh . . . Stán an Rí síos ar Shéarlaí. Ní raibh ach seans amháin fágtha! Shín sé a lámh chlé amach. D'éirigh an lámh níos faide agus níos faide go dtí gur shroich sé Séarlaí. Rug an Rí greim ar a chos. Ansin tharraing sé a lámh dhraíochta siar. Chuir sé Séarlaí ina shuí taobh thiar de agus chas sé an crann timpeall chun filleadh ar an lios.

Bhí áthas ar na sióga Séarlaí a fheiceáil arís. Seachas Nimheadas, ar ndóigh. Thug seisean amharc fiata ar Shéarlaí agus d'imigh leis agus é ag machnamh ar bhealaí eile chun mioscais a dhéanamh. Thóg an Rí Séarlaí go dtí a gharáiste príobháideach. Chuir sé a chrann scuaibe isteach ann. Chuir sé an garáiste faoi ghlas agus d'inis sé do Shéarlaí na focail dhraíochta a d'osclódh an garáiste dó.

'Tabharfaidh mé crann scuaibe nua duit,' a dúirt sé. 'Coimeád anseo é. Ní bheidh aon duine eile ábalta baint leis ansin.'

'An gceapann tú go ndearna duine éigin dochar do mo chrannsa?' a d'fhiafraigh Séarlaí.

Chlaon an Rí a cheann. 'Ceapaim gur duine áirithe anseo sa lios a rinne é. Táimse chun súil ghéar a choimeád air. Más léir dom go bhfuil dochar á dhéanamh aige díbreoidh mé as an lios é.'

Leag an Rí a lámh ar ghualainn Shéarlaí. 'Tá an-áthas orm gur tháinig tú slán. Beidh féasta mór againn anocht.'

8. Séarlaí a Dó i mBaol

Maidin amháin agus Séarlaí a Dó ag éirí chuala sé torann ard ag teacht ó íochtar an tí. Bhrostaigh sé síos staighre. Bhí a athair ag feistiú aláraim ar fhuinneoga na cistine.

'Cén fáth a bhfuil tú á dhéanamh sin?' a d'fhiafraigh Séarlaí.

'Chuala mé go bhfuil gadaí ag dul timpeall,' a dúirt a athair. 'Tá sé tar éis briseadh isteach i dtrí theach ar an mbóthar seo. Tá a lán rudaí luachmhara tógtha aige.'

Tháinig máthair Shéarlaí isteach sa chistin.

'Ar chuala tú faoin ngadaí?' a d'fhiafraigh Séarlaí.

'Chuala . . . caithfimid bheith an-aireach.'

Ag am lóin ar scoil bhí gach duine ag caint faoin ngadaí.

'Cad a dhéanfása dá mbuailfeá leis?' a d'fhiafraigh Eilís de Shéarlaí a Dó.

'Ghabhfainn é agus chuirfinn fios ar na Gardaí.'

'Éist leis an laoch!' a dúirt Barra Ó Dubháin le seitgháire.

D'imigh sé timpeall an chúinne chun toitín a chaitheamh i ngan fhios don mhúinteoir. Chuala siad é ag casachtach go hard.

An oíche sin i ndiaidh an tae dúirt a thuismitheoirí le Séarlaí a Dó go rabhadar chun cuairt a thabhairt ar chairde.

'Bí ar d'aire fad is a bheimid imithe,' a dúirt a athair leis. 'Cuirfidh mé an t-aláram ar siúl sula n-imímid.'

'Ní gá é sin a dhéanamh,' a dúirt Séarlaí a Dó. 'Beidh mise anseo.'

Níor thaitin an t-aláram leis mar bhuaileadh sé go minic gan fáth gan chúis.

'Tá go maith,' a dúirt a athair. 'Ach bí aireach.'

Nuair a bhí a thuismitheoirí imithe shuigh Séarlaí a Dó i gcathaoir chompordach os comhair na tine. D'oscail sé leabhar agus thosaigh á léamh. Scéal an-spéisiúil a bhí ann.

Tar éis tamaill thosaigh suan ag teacht air i dteas na tine. Dhún sé a shúile. Shleamhnaigh an leabhar as a lámha. Ba ghearr go raibh sé ina chodladh go sámh.

Dúisíodh go tobann é nuair a ceanglaíodh rópa timpeall a lámh. Ansin ceanglaíodh rópa eile timpeall a chos. Chuala sé glór piachánach ag rá:

'Ná corraigh!'

Shiúil an gadaí timpeall an tseomra. Chas Séarlaí a Dó a cheann agus chonaic sé é ag féachaint ar ornáidí. Chuir sé na cinn ba luachmhaire isteach i mála. Bhí púicín ar aghaidh an ghadaí. Bhí scian ina lámh aige. Thóg an gadaí fráma airgid ina raibh pictiúr.

'Ná tóg é sin,' a dúirt Séarlaí a Dó. 'Is pictiúr é de mo thuismitheoirí ar lá a bpósta.'

'Éist do bhéal!' a d'ordaigh an gadaí. Chaith sé an fráma isteach sa mhála. 'An bhfuil aon airgead sa teach?' a d'fhiafraigh sé.

'Níl.'

'Ní chreidim tú!' Chrom an gadaí síos chun pócaí Shéarlaí a chuardach. Thit an púicín óna aghaidh. Lig sé eascaine as.

'Tusa an t-aon duine a chonaic m'aghaidh is mé i mbun oibre.' Dhírigh sé an scian ar Shéarlaí. 'D'fhéadfá an t-eolas sin a thabhairt do na Gardaí.'

'Ní dhéanfainnse rud mar sin.'

'Ní chreidim tú!' Thug an gadaí buille do Shéarlaí le cos na scine. 'Má deir tú aon rud leo tiocfaidh mé ar ais.'

Bhagair sé an scian air arís. Rinne Séarlaí iarracht a mhéar a shíneadh i dtreo an ghadaí. Ach bhí sé ceangailte chomh docht sin nach bhféadfadh sé corraí.

Stán sé ar sheilf a bhí in aice leis an ngadaí. Bhí bréagáin le Séarlaí a hAon ina seasamh ar an tseilf . . . saighdiúirí, gunnaí móra agus héileacaptar.

Lig Séarlaí a Dó fead ard as féin. Go tobann thosaigh na saighdiúirí ag bogadh. Dhírigh siad a ngunnaí ar an ngadaí. Scaoil siad. Bhuail cith corc é san aghaidh.

Lig sé liú pianmhar as. Thit an scian as a lámha. Chrom sé síos chun é a phiocadh suas. Séideadh ceann de na gunnaí móra. Bhuail na scórtha tacóidí géara é sa tóin.

Scread an gadaí go hard. Rith sé i dtreo an dorais. Léim cúpla saighdiúir isteach sa héileacaptar. D'eitil an héileacaptar ón tseilf agus tháinig sé anuas ar ghualainn an ghadaí.

Léim na saighdiúirí as an héileacaptar. Cheangail siad a lámha is a chosa le cordaí na gcuirtíní. Ansin d'eitil siad sa héileacaptar sall chuig Séarlaí agus scaoil siad saor é.

Lig Séarlaí fead ard eile agus d'fhill na saighdiúirí ar an tseilf sa héileacaptar. Tháinig siad amach as an héileacaptar. D'éirigh na saighdiúirí agus na bréagáin eile neamhbheo arís.

Sheas Séarlaí a Dó os comhair an ghadaí.

'Bhí dul amú mór ort nuair a bhris tú isteach sa teach seo,' a dúirt sé.

Stán an gadaí air go heaglach. 'Cén sórt duine tusa?'

'Síóg.'

'Ná bí ag magadh fúm.' Chuimil an gadaí a theanga lena liopaí. 'Cad tá beartaithe agat a dhéanamh liom?'

'Tá mé chun fios a chur ar na Gardaí.'

Chuaigh Séarlaí go dtí an teileafón agus ghlaoigh sé ar na Gardaí. Tháinig siad go dtí an teach. Bhí ionadh an domhain orthusan nuair a chonaic siad an gadaí agus é ceangailte go docht.

'Táimid ar thóir an bhithiúnaigh seo le fada,' a dúirt duine acu. 'Cé a chabhraigh leat é a ghabháil?'

'Níor chabhraigh aon duine liom,' a dúirt Séarlaí.

Stán an Garda anuas ar an mbuachaill beag, chroith sé a cheann agus rinne sé gáire. Chuir na Gardaí glais lámh ar an ngadaí agus chuir siad sa charr é. Bhí Séarlaí a Dó ag léamh a leabhair nuair a d'fhill a thuismitheoirí abhaile.

'Conas a d'éirigh leat?' a d'fhiafraigh siad de.

'Bhris an gadaí isteach sa teach ach d'éirigh liom é a ghabháil. Chuir mé fios ar na Gardaí agus thógadar leo é.'

Rinne a thuismitheoirí gáire.

'Téigh a luí,' a dúirt a mháthair. 'Is féidir leat bheith ag aislingeacht i do leaba.'

D'éirigh Séarlaí a Dó ina sheasamh. D'fhéach sé ar na bréagáin ar an tseilf agus chaoch sé súil orthu. Ansin d'fhág sé slán codlata ag a thuismitheoirí agus d'imigh sé suas staighre.

9. An Fealltóir

Bhí fiuchadh feirge ar Nimheadas. Nuair a d'imir sé an cleas fealltach sin ar Shéarlaí a hAon bhí sé cinnte nach bhfeicfí sa lios é choíche arís.

Ach bhí Séarlaí tagtha ar ais agus ba mhó fós an meas a bhí ag gach duine air anois.

'Imreoidh mé feall air arís,' a dúirt Nimheadas leis féin. 'Feall a chuirfidh deireadh go deo leis.'

Rinne sé dianmhachnamh. Bhainfeadh sé feidhm as an gcleas céanna. D'athródh sé an gléas stiúrtha ar chrann scuaibe Shéarlaí a hAon. An chéad uair eile a bheadh an crann scuaibe go hard san aer thitfeadh sé go tobann chun talaimh agus mharófaí Séarlaí . . .

Chuaigh Nimheadas síos go dtí na racaí ina gcoinnítí na crainn scuaibe draíochta. Stop sé ag an raca ar a raibh ainm Shéarlaí scríofa. Ní raibh aon chrann ann.

Bhí a fhios ag Nimheadas go raibh Séarlaí fós sa lios. Cá raibh a chrann scuaibe nua, mar sin? Ba chuimhin le Nimheadas é a fheiceáil ag dul isteach i ngaráiste an Rí. Chuaigh sé síos go dtí an garáiste. Bhí an doras ar oscailt. Ní foláir nó rinne Séarlaí dearmad é a dhúnadh.

Chuaigh Nimheadas isteach sa gharáiste. Thóg sé crann scuaibe Shéarlaí amach as an raca. Chrom sé síos chun an gléas stiúrtha a athrú. Tháinig scread ard ón gcrann scuaibe. Chaith Nimheadas uaidh ar an talamh é. Chas sé chun éalú ón ngaráiste.

'Fan mar a bhfuil tú!' Bhí an Rí ina sheasamh os a chomhair. Bhí a gharda cosanta in éineacht leis.

'Bhí mé ag ceapadh go ndéanfá iarracht ar chleas fealltach a imirt arís,' a dúirt an Rí. 'Chuir mé aláram ar an gcrann scuaibe. Ní éireoidh leat feall a imirt arís. Bí cinnte de sin!'

'Cad a dhéanfaidh tú liom?' a d'fhiafraigh Nimheadas.

D'fhéach an Rí ar a gharda cosanta.

'Cad a mholfása?' ar seisean.

'Seol amach sa spás é. Ar chrann scuaibe a rachaidh san aon treo amháin.'

Smaoinigh an Rí air seo.

'Mmm . . . tá sé tuillte aige, is dócha.'

Thit Nimheadas ar a ghlúine.

'Ná déan, a Rí! Tabhair seans eile dom. Ní imreoidh mé aon chleas ar aon duine arís.'

'Tá go maith. Ligfidh mé do bheo leat,' a dúirt an Rí. 'Ach caithfidh tú íoc as an bhfeall atá déanta agat.'

Rinne sé machnamh ar feadh tamaill.

'Caithfimid tú a choinneáil gnóthach. Ansin, ní bheidh am agat bheith ag smaoineamh ar chleasaíocht. Éirigh!'

D'éirigh Nimheadas ina sheasamh.

'Beidh ort fanacht ar an ngealach,' a dúirt an Rí, 'agus aire a thabhairt don solas. Beidh ort snas a choinneáil ar na réaltaí freisin. Má theipeann ort do chuid oibre a dhéanamh i gceart seolfar tú amach sa spás.'

41

Chas an Rí chuig an ngarda cosanta. 'Déan na socruithe is gá gan mhoill. Cuirfidh mé in iúl do Shéarlaí nach mbeidh air aire a thabhairt don ghealach is do na réaltaí as seo amach . . .'

Bhí áthas ar Shéarlaí a hAon nuair a dúirt an Rí leis nach mbeadh air an obair sin a dhéanamh feasta. Bheadh níos mó ama aige anois dul ag taisteal timpeall ar a chrann scuaibe draíochta. Bheartaigh sé cuairt a thabhairt ar gach pláinéad nach raibh feicthe aige fós.

D'eitil sé go minic thar an teach ina mbíodh sé ina chónaí lena thuismitheoirí. D'fheiceadh sé iad ag teacht is ag imeacht. Ní fhéadfaidís-sean eisean a fheiceáil agus é ina shuí ar a chrann scuaibe draíochta.

Mhothaigh sé gur mhaith leis bheith ar ais sa chistin ag caint leo arís. D'fheiceadh sé Séarlaí a Dó freisin ar a bhealach abhaile ón scoil. Bhíodh Eilís in éineacht leis. Thagadh éad ar Shéarlaí a hAon nuair a d'fheiceadh sé an bheirt acu ag comhrá is ag gáire le chéile.

Cé gur thaitin an saol sa lios leis bhíodh fonn air go minic filleadh ar a sheansaol arís. Ach conas a d'fhéadfadh sé sin a dhéanamh? Ní dócha go dtabharfadh an Rí cead dó imeacht anois. D'fhéadfadh sé an scéal a phlé leis an Rí, is dócha . . . Ach b'fhéidir go gcuirfeadh sin fearg ar an Rí. Céard a tharlódh dó ansin? B'fhéidir gurbh fhearr dó rudaí a fhágáil mar a bhí siad. Ach mar sin féin ní fhéadfadh sé an imní a bhí air a dhíbirt as a intinn. Eagla a bhí air anois go ndéanfadh a thuismitheoirí agus Eilís dearmad air. Chaithfeadh sé dul ar ais chucu. Ach conas . . . ?

10. Cad a Dhéanfaidh Séarlaí a Dó?

Cé gur thaitin an saol i mBaile na Glaise le Séarlaí a Dó bhíodh fonn air go minic filleadh ar an saol a bhíodh aige sa lios.

Chuimhnigh sé ar na heachtraí a bhíodh aige lena chrann scuaibe draíochta. D'fhéadfadh sé rudaí iontacha a dhéanamh lena rothar ach ní raibh siad chomh hiontach leis na rudaí a dhéanadh sé leis an gcrann scuaibe.

Bhí sé ceanúil go leor ar a thuismitheoirí agus ar Eilís is ar a chuid cairde eile. Ach b'fhearr leis an sórt saoil a bhí ag na sióga.

Thuig sé anois gur chaill sé formhór a chairde sa lios de bharr na gcleas a bhíodh á n-imirt aige. Ba léir dó gur lig sé do Nimheadas é a chur ar strae. Ba eisean a ghríosaigh é chun cleasa suaracha a imirt ar Lifeachar agus ar na seansióga eile sa lios.

Dá ligfí ar ais sa lios é ní imreodh sé aon chleas eile mar sin. Ní bheadh sé cairdiúil feasta le Nimheadas. Bheadh sé umhal don Rí i gcónaí.

Sea, ba bhreá leis filleadh ar an lios. Ach conas a d'fhéadfadh sé é sin a dhéanamh? B'fhéidir go dtuigfeadh an Rí an scéal dá míneodh sé dó é.

Ach conas a d'fhéadfadh sé an Rí a fheiceáil? Dá ndéanfadh sé iarracht filleadh ar an lios gan cead chuirfí pionós géar air. Nó b'fhéidir go seolfaí amach sa spás é. Bheadh deireadh leis dá dtarlódh sin.

Lig sé osna. B'fhearr dó leanúint ar aghaidh mar a bhí sé . . .

11. Cad a Tharlóidh do Shéarlaí a hAon?

D'éist an Rí lena raibh le rá ag Séarlaí a hAon.
Cheap Séarlaí nach raibh cuma róshásta ar an Rí agus é
ag éisteacht lena scéal.

Bhí brón air anois gur iarr sé cead ar an Rí filleadh
ar a sheansaol. B'fhéidir go n-ordódh an Rí dó dul ar
ais ag glanadh na réaltaí is ag tabhairt aire don
ghealach. Ach bhí sé ródhéanach anois, bhí a chuid
ráite aige. Stán an Rí air gan aon rud a rá.

'Táim tar éis fearg a chur air,' a dúirt Séarlaí leis féin.

Ach nuair a labhair an Rí bhí a ghuth mín.
'Teastaíonn uait filleadh abhaile, an dteastaíonn?'

'Teastaíonn.'

Chuimil an Rí a fhéasóg go machnamhach.

'Ní féidir le haon duine na sióga a fhágáil mura
mbíonn duine éigin eile ann chun a áit a ghlacadh.
Tharla sin i gcás Bhobaileo, is é sin le rá, Séarlaí a Dó.
Tógadh isteach tú chun a áit a ghlacadh.'

'Tuigim,' a dúirt Séarlaí a hAon. 'Beidh orm fanacht
anseo, mar sin.'

Chroith an Rí a cheann. 'Is féidir go bhfuil réiteach
agam ar an gceist.' Chuimil sé a fhéasóg arís. 'Tá súil
ghéar á coimeád agam ar Shéarlaí a Dó ó d'imigh sé ón

lios. Feictear dom go bhfuil feabhas mór tagtha air. Tá sé dea-mhúinte agus béasach anois. Is cosúil go bhfuil fios a chéille faighte aige faoi dheireadh.'

Rinne sé gáire.

'Ligfidh mé dó filleadh ar an lios. Agus ligfidh mé duitse filleadh abhaile.'

'Go raibh míle maith agat, a Rí,' a dúirt Séarlaí a hAon. 'An féidir liom mo chrann scuaibe draíochta a choimeád nuair a théim ar ais?'

Chroith an Rí a cheann arís. 'Ní féidir. Ní mór duit é a fhágáil anseo i do dhiaidh.'

'An féidir liom mo chuid cumhachtaí draíochta a choimeád, mar sin?'

'Is eagal liom nach féidir, ach an oiread. Ní bheidh siad ag teastáil uait, ar aon nós. Tá tú ábalta seasamh ar do bhonnaí féin anois. Tá muinín agat asat féin. Sin é an bua is luachmhaire ag duine óg mar tú féin. Cuirfidh sé ar do chumas rudaí maithe a dhéanamh. Beidh tú i do scoláire maith. Beidh tú i do pheileadóir maith. Ach is é an rud is tábhachtaí ná go mbeidh tú i do dhuine maith cineálta. Tabharfaidh tú aghaidh ar an saol in áit bheith ag síoraislingeacht.'

Leag sé lámh ar ghualainn Shéarlaí.

'Ach ná caill gach aisling. Is maith ceann nó dhó a bheith ag duine i rith a shaoil.' Rinne sé miongháire. 'Imigh leat anois. Agus ná déan dearmad choíche ar do chairde anseo sa lios . . .'

12. Athrú Eile

Chuaigh Séarlaí a hAon abhaile. D'fhill Séarlaí a Dó ar an lios. Tugadh a sheanainm, Bobaileo, ar ais dó. Bhí na síóga eile amhrasach faoi ar dtús. Ach bhí Bobaileo athraithe go mór anois. Thosaigh sé ag déanamh maitheasa in áit díobhála. Tar éis tamaill d'éirigh gach duine sa lios an-chairdiúil leis.

Bhí athrú mór tagtha ar Shéarlaí a hAon freisin. D'éiríodh sé go luath gach maidin agus bhíodh sé i gcónaí in am don scoil. Bhí ionadh air nuair a fuair sé amach go raibh sé ina chaptaen ar an bhfoireann peile. Bhí ionadh air freisin a fheiceáil nár mhaistín é Barra Ó Dubháin níos mó.

Bhí Barra ciúin agus múinte anois. D'éirigh sé féin agus Séarlaí an-chairdiúil le chéile.

Bhí áthas ar Shéarlaí go raibh a athair is a mháthair an-bhródúil as. Anois is arís bhíodh siad ag gáire i dtaobh eachtra éigin faoi ghadaí a bhris isteach sa teach. Ach níor thuig Séarlaí cad faoi a raibh siad ag caint is ag gáire. Théadh sé féin agus Eilís ag rothaíocht le chéile. Bhíodh sise ag gáire freisin faoi eachtraí a tharla tamall ó shin. Níor thuig Séarlaí an chaint sin ach an oiread.

Ó am go ham chuimhníodh sé ar a shaol sa lios. San oíche stánadh sé suas ar an ngealach agus ar na réaltaí. Bhíodh siad ag soilsiú go soiléir gach oíche spéirghealaí. Smaoiníodh sé ar an am a mbíodh air féin aire a thabhairt don ghealach agus do na réaltaí.

Dá n-inseodh sé na heachtraí sin d'aon duine déarfaí gur ag aislingeacht a bhí sé. Ach cá bhfios? B'fhéidir go dtabharfadh sé cuairt arís ar Mhars agus ar na pláinéid eile am éigin.

Stán sé ar a rothar. Ba mhór idir é agus an crann scuaibe draíochta. Ach bhí sé sásta leis an rothar agus leis an saol a bhí aige anois . . .

Foclóirín

aireach	careful
aislingeacht	daydreaming
alltacht	amazement, astonishment
amhrasach	doubtful, suspicious
aoibh	smile
bagair	threaten, brandish
barraicíní	toes
bearna	gap
béasach	well-mannered
béile	meal
biseach	recovery
bithiúnach	scoundrel
bogha báistí	rainbow
bolgán solais	lightbulb
bonnaí (seasamh ar do bh.)	stand on your own two feet
brat	(here) cover
brionglóid	dream
bródúil	proud
bruach	riverbank
buille	blow
caoch	(here) wink
casachtach	cough
ceanúil	fond
claon	nod
cleachtadh	practice
clúdaigh	cover
coinne (gan ch.)	suddenly
corraigh	move, stir
cosúlacht	appearance
crá	torment
crann scuaibe draíochta	magic broomstick
crom	bend

crosta	annoyed
cuaille	post
cuileog	fly
cuimhnigh	remember
cuimil	rub
cúlaigh	back away
cumhachtach	powerful
cúrach	frothy
dána	bold
dea-mhúinte	polite
deifrigh	hurry
dianmhachnamh	to think hard
díbir	drive out, expel
díobháil	damage
díoltas	revenge
díomách	disappointed
díon	roof
docht	firm
dorchadas	darkness
dorn	fist
dradgháire	mocking laugh
dreap	climb
drochmheasúil	contemptuous
dua (a chur ort féin)	to make an effort
duairc	gloomy
dualgas	duty
eachtra	adventure
éad	jealousy
éadan	forehead
éalaigh	escape
easna(-cha)	rib(-s)
faillí	neglect
fánach	(here) futile, pointless
fead	whistle (sound)
feadóg	whistle (object)

feall (a imirt)	to play dirty tricks on
fealltach	treacherous
feistiú	fitting
fiata	wild
fíochmhar	furious
fiuchadh feirge	fit of anger
fód (an f. a sheasamh)	stand your ground
fógair	announce
folaithe	hidden
fónamh (ar f.)	healthy
fonóideach	mocking
formhór	most
fulaing	suffer
géar	sharp, keen
geit	fright
glais lámh	handcuffs
gléas stiúrtha	steering device
grabaire	brat
greamaigh	to stick
greim	grasp
gréithe	dishes
gríosaigh	encourage
guaillí	shoulders
iallach bróige	shoelace
íochtar	lower part
leadránach	boring
leathadh (ar l.)	wide open
leiceann	cheek
líontán	net
lios (gin. leasa)	fairy-mound
liú	shout
luas lasrach	lightning speed
lúcháireach	glad, delighted
lucht féachana	(here) onlookers
macalla	echo

machnamhach	thoughtful
maolgháire	chuckle
masla	insult
meadhrán	dizziness
mearfhéachaint	quick glance
measc	mix
mianach (an m. a bheith ionat)	to have it in you
mífhoighneach	impatient
mífhonnmhar	reluctant
millteach	venomous
mín	gentle
míniú	explanation
míorúilt	miracle
mioscais	mischief, trouble
moltóir	referee
muinín	confidence
náid	zero
namhaid	enemy
neamhní	zero
nimhneach	spiteful, venomous
olagón	wailing
ornáid	ornament
osna	sigh
piachánach	hoarse
piléar	bullet
plaic	bite
preab	bounce
púicín	mask
rabhadh	warning
raca	rack
réab	tear, rip up
réiteach	solution
roghnaithe	selected
roc	wrinkle

roicéad	rocket
ruafholtach	red-haired
ruaig (cuir an r. ar)	to chase away
sáigh	stick
sáimhín suilt (bheith ar do sh. s.)	to be at your ease
salachar	dirt
sámh	peaceful, tranquil
scaif	scarf
scaip	scatter
scata	crowd
scinn	dart, rush
seachain	avoid
seift	(here) idea
seitgháire	snigger
síob	lift
síofra	elf-child, changeling
sleamhnaigh	slide, slip
smacht	control
smidiríní	small pieces
smig	chin
snap	snatch
snas	polish, shine
soc	nose
socair	quiet, still
soilsigh	shine
sonc	push
spalp	pour out
spásárthach	spaceship
spéirghealaí (oíche)	moonlit night
spréacharnach	sparkling
sracfhéachaint	glance
sraith	series
srian	limit, restraint
stán	stare

stiúraigh	steer
suaimhneach	peaceful
suan draíochta	enchanted sleep
suarach	mean
suimigh	add
tacóid	tack
tafann	barking
teann	squash
teolaí	warm, cosy
tóir	pursuit, chase, hunt
tóirsholas	searchlight
torann	noise
treoraigh	guide
truicear	trigger
tuilleadh	more, additional
tuirling	land
uimhríocht	arithmetic
ullmhaigh	prepare
umhal	humble
útamáil le	mess around with